Dados Internacionais de Catalogação na Publicação (CIP)
(Câmara Brasileira do Livro, SP, Brasil)

Zilberman, Regina
  O Sítio do Picapau Amarelo / adaptações de Regina Zilberman ; originais de Monteiro Lobato; ilustrações de Mauricio de Sousa. -– Barueri, SP : Girassol, 2019.
  80 p. : il.

  ISBN 978-85-394-2427-6

  1. Literatura infantojuvenil I. Título II. Lobato, Monteiro, 1882-1948 III. Sousa, Mauricio de

19-0258   CDD-028.5

Índices para catálogo sistemático:

1. Contos : Literatura infantil 028.5

GIRASSOL BRASIL EDIÇÕES EIRELI
Av. Copacabana, 325, Sala 1301
Alphaville – Barueri – SP – 06472-001
leitor@girassolbrasil.com.br
www.girassolbrasil.com.br

Direção Editorial: Karine Gonçalves Pansa
Coordenadora Editorial: Carolina Cespedes
Assistente Editorial: Talita Wakasugui

Direitos de publicação desta edição no Brasil
reservados à Girassol Brasil Edições Eireli
Impresso no Brasil

 @editora_girassol

Estúdios Mauricio de Sousa apresentam

Presidente: Mauricio de Sousa

Diretoria: Alice Keico Takeda, Mauro Takeda e Sousa, Mônica S. e Sousa

Mauricio de Sousa é membro da Academia Paulista de Letras (APL)

Diretora Executiva
Alice Keico Takeda

Direção de Arte
Wagner Bonilla

Diretor de Licenciamento
Rodrigo Paiva

Coordenadora Comercial
Tatiane Comlosi

Analista Comercial
Alexandra Paulista

Editor
Sidney Gusman

Revisão
Daniela Gomes, Ivana Mello

Editor de Arte
Mauro Souza

Coordenação de Arte
Irene Dellega, Maria A. Rabello

Produtora Editorial Jr.
Regiane Moreira

Layout e Desenho
Anderson Nunes

Cor
Kaio Bruder, Marcelo Conquista, Mauro Souza

Designer Gráfico e Diagramação
Mariangela Saraiva Ferradás

Supervisão de Conteúdo
Marina Takeda e Sousa

Supervisão Geral
Mauricio de Sousa

Condomínio E-Business Park - Rua Werner Von Siemens, 111
Prédio 19 - Espaço 01 - Lapa de Baixo - São Paulo/SP
CEP: 05069-010 - TEL.: +55 11 3613-5000

© 2022 Mauricio de Sousa e Mauricio de Sousa Editora Ltda.
Todos os direitos reservados.
www.turmadamonica.com.br

Que o faz de conta seja eterno

Depois do sucesso do primeiro volume desta coleção, *Narizinho arrebitado*, eis que a parceria da minha Turminha com os personagens de Monteiro Lobato chega a *O Sítio do Picapau Amarelo*.

Nos 12 capítulos deste livro, é fácil constatar por que Lobato encantava tanto as crianças. O seu texto (brilhantemente adaptado aqui por Regina Zilberman) flui gostoso e conduz o leitor pelas aventuras de Narizinho e Emília.

Imagine como era ler algo tão envolvente quando nem televisão existia! Essas aventuras eram as passagens para viagens a diversos mundos de fantasia. E o mais impressionante: as histórias seguem atuais e encantadoras, mesmo em tempos de internet ao alcance de um toque num celular.

Porque Monteiro Lobato era um grande escritor. E que honra, para mim, poder reapresentá-lo para antigos fãs e também apresentá-lo para novas gerações de leitores, com meus personagens vivendo a turma do Sítio do Picapau Amarelo.

Depois de passear pelo Reino das Águas Claras, no volume anterior, agora você verá Narizinho e Emília se esbaldando com jabuticabas, lidando com vespas, formigas e abelhas, comendo as delícias preparadas pela Tia Nastácia e recebendo Pedrinho, que enfim chega ao sítio. E não só isso: a espevitada e falante boneca de pano vira Condessa, o porquinho Marquês de Rabicó se mete numa encrenca sem tamanho e até o caubói Tom Mix, grande herói do cinema, aparece no sítio.

Escritor, advogado, fazendeiro, diplomata, editor, empresário e tradutor, Lobato segue fascinando gerações de brasileiros. Não à toa é considerado o pai da literatura infantil no Brasil. Mesmo assim, foi alvo de críticas e polêmicas, por ter se mostrado preconceituoso em determinadas passagens de suas obras. Prefiro acreditar que, apesar de defender ideias modernistas, ele não deixou de ser fruto da época em que viveu. E não acho que essa interpretação de seus textos invalide o encanto de seus livros através dos tempos.

Por isso, nos livros desta coleção, todos os trechos com esse viés totalmente intolerável foram editados.

Então, fica o convite: vire a página e embarque em mais uma viagem deliciosa ao mundo do faz de conta do Sítio do Picapau Amarelo. Eu, Mônica, Cebolinha, Magali e toda a Turminha já estamos a bordo. Só falta você!

As jabuticabas

De volta do Reino das Águas Claras, Narizinho começou a sonhar todas as noites com o Príncipe Escamado, Dona Aranha, o Doutor Caramujo e mais figurões que conhecera por lá. Ficou de tal forma que não podia ver o menor inseto sem que começasse a imaginar a vida maravilhosa que teria na terrinha dele. E quando não pensava nisso, pensava no Pequeno Polegar e nos meios de fazer com que ele fugisse de novo da história em que o coitadinho vivia preso.

Era esse o assunto predileto das conversas da menina com a boneca Emília. Faziam planos de todo tipo, cada qual mais amalucado.

Emília tinha ideias malucas.

– Vou lá – dizia ela – e agarro nas orelhas da Dona Carocha e dou um pontapé naquele nariz de papagaio e pego o Polegada pelas botas e venho correndo.

Narizinho dava risada, muita risada...

– Vai lá aonde, Emília?

– Lá onde mora a velha.

– E onde mora a velha?

A boneca não sabia, mas não se atrapalhava na resposta. Emília nunca se atrapalhou nas suas respostas. Dizia as maiores tolices do mundo, mas respondia.

– A velha mora com o Pequeno Polegada.

– Polegar, Emília!

– PO-LE-GA-DA.

Era teimosa como ela só. Nunca disse Doutor Caramujo. Era sempre Doutor Cara de Coruja. E nunca quis dizer Polegar. Era sempre Polegada.

– Muito bem – concordou a menina. – A velha mora com o Polegar e o Polegar mora com a velha. Mas onde moram os dois?

– Moram juntos.

Narizinho dava risada, dizendo:

– Quem pode com ela?

Dona Benta era outra que achava muita graça nas maluquices da boneca. Todas as noites colocava Emília no colo para lhe contar histórias. Porque não havia no mundo quem gostasse mais de história do que a boneca. Vivia pedindo que contassem a ela a história de tudo – do tapete, do cuco, do armário. Quando soube que Pedrinho, o outro neto de Dona Benta, estava para chegar e passar uns tempos no sítio, pediu a história de Pedrinho.

– Pedrinho não tem história – respondeu Dona Benta, rindo. – É um menino de dez anos que nunca saiu da casa de minha filha Antonica. Portanto, não fez nada ainda e nada conhece do mundo. Como ele teria uma história?

– Essa é boa! – contestou a boneca. – Aquele livro de capa vermelha da sua estante também nunca saiu de casa e tem mais de dez histórias dentro.

Dona Benta virou e disse para Tia Nastácia:

– Essa Emília diz tanta asneira que é quase impossível conversar com ela. Chega a atrapalhar a gente.

– É porque é de pano – explicou a amiga. – E de um paninho muito ordinário. Se eu imaginasse que ela ia aprender a falar, teria feito a boneca de seda, ou pelo menos de um retalho daquele seu vestido de ir à missa.

Dona Benta olhou para Tia Nastácia de um certo modo, como que achando aquela explicação muito parecida com as da Emília...

Nisto apareceu Narizinho, com uma carta para Dona Benta trazida pelo correio.

– É a letra da sua filha Tonica, vovó – disse a menina. – Com certeza, marcando a viagem do Pedrinho.

Dona Benta leu. Era isso mesmo. Pedrinho chegaria em uma semana.

– Uma semana ainda? – comentou Narizinho, desanimada com tanta demora. – Que pena! Tenho tantas coisas para contar pro Pedrinho, coisas do Reino das Águas Claras...

– Não sei que reino é esse. Você nunca me falou dele – disse Dona Benta com cara de surpresa.

– Não falei e nem falo, porque a senhora não acredita. Uma beleza de reino, vovó! Um palácio de coral que parece um sonho! E o Príncipe Escamado, e o Doutor Caramujo, e Dona Aranha com suas seis filhinhas, e o Major Agarra, e o papagaio que salvei da morte – quanta coisa! Até baleias nós vimos lá, uma baleia enorme, dando de mamar a três baleinhas. Vi um milhão de coisas, mas não posso contar nada nem para a vovó nem para a Tia Nastácia, porque vocês não acreditam. Para o Pedrinho, sim, posso contar tudo, tudo...

Dona Benta, de fato, nunca dera crédito às histórias maravilhosas de Narizinho. Dizia sempre: "Isso são sonhos de crianças". Mas depois que a menina fez a boneca falar, Dona Benta ficou tão impressionada que disse para a amiga:

– Isto é um prodígio tamanho que estou quase acreditando que as outras coisas fantásticas que Narizinho nos contou não são simples sonhos, como sempre pensei.

– Eu também acho. Essa menina é levada da breca. É bem capaz de ter encontrado por aí alguma varinha de condão que alguma fada tenha perdido... Eu também não acreditava no que ela dizia, mas depois do caso da boneca, fiquei até transtornada da cabeça. Pois onde é que já se viu uma coisa assim? Uma boneca de pano, que eu mesma fiz com estas pobres mãos, e de um paninho tão ordinário, falando como gente! Ou nós estamos caducando ou o mundo está perdido...

E as duas senhoras olhavam uma para a outra, sacudindo a cabeça.

Narizinho não gostava de esperar; ficou aborrecida de ter de esperar Pedrinho por ainda uma semana inteira. Mas, felizmente, era tempo de jabuticabas.

No sítio de Dona Benta havia vários pés, mas bastava um para que todos se acabassem até enjoar. Justamente naquela semana, as jabuticabas tinham chegado "no ponto" e a menina não fazia outra coisa senão chupar as deliciosas frutas. Volta e meia subia na árvore, como se fosse uma macaquinha. Escolhia as mais bonitas, punha-as entre os dentes e *tloc*! E depois do *tloc*!, uma engolidinha de caldo e – *pluf*! – caroço fora. E *tloc*! *pluf*! – *tloc*! *pluf*!, e passava o dia inteiro na árvore.

As jabuticabas tinham outros fregueses, além da menina. Um deles era um leitão muito guloso, que recebera o nome de Rabicó. Assim que via Narizinho subir na árvore, Rabicó vinha correndo postar-se embaixo, à espera dos caroços. Cada vez que soava lá em cima um *tloc!* seguido de um *pluf!*, ouvia-se lá debaixo um *nhoc!* do leitão abocanhando qualquer coisa. E a música da jabuticabeira era assim: – *tloc! pluf! nhoc!* – *tloc! pluf! nhoc!*

Sanhaços* também, e abelhas e vespas. Vespas aos montes, sobretudo no fim, quando as jabuticabas ficavam doces feito mel, como dizia Narizinho. Escolhiam as melhores frutas, furavam-nas com o ferrão, enfiavam meio corpo dentro e ficavam lá bem quietinhas, sugando o caldo até caírem tontas.

– E não mordiam?

– Não tinham tempo. O tempo era curto para aproveitarem aquela gostosura que só durava uns quinze dias.

Não mordiam é modo de dizer. Nunca tinham mordido, isso sim. Porque bem naquela tarde uma mordeu. Narizinho estava lá no seu galho, distraída e pensando na surpresa que teria o Príncipe Escamado se recebesse uma jabuticaba de presente, quando levou à boca uma das tais furadinhas, com meia vespa dentro. Dessa vez, no lugar do *tloc!* de costume, o que soou foi um berro – *Ai! Ai! Ai!* – tão bem berrado que lá dentro da casa as duas senhoras ouviram.

– O que será aquilo? – exclamou Dona Benta, assustada.

– Aposto que é vespa! – disse Tia Nastácia. – Ela não sai da "fruteira" e, como nunca foi mordida, abusa. Eu vivo dizendo: "Cuidado com as vespas!", mas não adianta, Narizinho não dá bola. Agora, está aí...

E foi correndo acudir a menina.

Encontrou Narizinho já no caminho de volta, berrando com a língua à mostra, porque fora bem na ponta da língua que a vespa ferroara. Trouxe a menina para casa, botou Narizinho no colo e disse:

– Sossega, boba, isso não é nada. Dói, mas passa. Põe a língua pra fora, vou arrancar o ferrão. Vespa, quando morde, deixa o ferrão no lugar da mordida. Bem pra fora. Assim.

Narizinho espichou meio palmo de língua e Tia Nastácia, com muito custo, porque já tinha a vista fraca, pôde afinal encontrar o ferrãozinho e arrancá-lo.

---

* Nome popular para algumas espécies de pássaros brasileiros.

– Pronto! – exclamou, mostrando qualquer coisa na ponta de uma pinça. – Está aqui o malvado. Agora é só ter paciência e esperar que a dor passe. Se fosse mordida de cachorro bravo seria muito pior...

Narizinho ficou sentindo a dor por alguns minutos, de língua inchada e olhos vermelhos, soluçando de vez em vez. Depois que a dor passou, foi contar à boneca toda a história.

– Bem feito! – disse Emília. – Se fosse eu, antes de comer, olhava cada fruta, uma por uma, com o binóculo de Dona Benta.

Apesar do acontecido, Narizinho não pôde segurar uma gargalhada, que Tia Nastácia ouviu lá da cozinha.

– Narizinho já sarou – disse ela consigo – e daqui um instantinho está trepada na árvore outra vez.

E tinha razão. Indo dali a pouco ao rio com a trouxa de roupa suja, ao passar pela jabuticabeira, parou para ouvir a música de sempre – *tloc! pluf! nhoc!*... Lá estava Narizinho trepada na árvore. Lá estavam as vespas com meio corpo enfiado dentro das frutas. Lá estava Rabicó esperando que os caroços caíssem.

– Está tudo voltando ao normal! – murmurou, e seguiu o seu caminho.

O enterro da vespa

De noite, na hora de deitar, Narizinho lembrou que tinha deixado a boneca debaixo da jabuticabeira.

– Pobre Emília! Deve estar morrendo de medo das corujas... – E pediu que Tia Nastácia fosse buscá-la.

Ela foi e trouxe Emília, toda úmida de orvalho, furiosa com o esquecimento da menina. E só a promessa de um belo vestido novo melhorou seu humor. Um vestido de chita cor-de-rosa com pintinhas. E de saia bem comprida.

– Por quê, Emília? – perguntou a menina estranhando aquele gosto.

– Porque sujei a perna aqui no joelho e não quero que apareça.

– É mais fácil lavar o joelho.

– Deus me livre! Tia Nastácia diz que sou de macela* por dentro e por isso não posso me molhar. Emboloro. Um dia, ainda posso virar condessa e não quero ser chamada de Condessa do Bolor.

– Ferrugem, panela, bolor, fedor! Tem razão, Emília. É melhor mesmo fazer um vestido de cauda. Para condessas fica bem. Mas condessa de quê?

– Quero ser a Condessa de Três Estrelinhas! Acho lindo tudo que é de Três Estrelinhas – a cidade de ★★★, o ano de ★★★, o duque de ★★★, como está naquele romance que Dona Benta vive lendo.

– Pois muito bem, Emília. Deste momento em diante, você fica nomeada Condessa de Três Estrelinhas. E, para que ninguém duvide, vou pintar três estrelinhas na sua testa. Todas as criaturas do mundo vão morrer de inveja!

– Todas, menos uma – observou a boneca.

– Quem?

– A vespa que ferroou sua língua.

– Explica isso melhor, Emília. Não estou entendendo nada.

---

* Macela é uma planta brasileira muito usada, dentre outras coisas, em sachês de cheiros para armários e gavetas, e também como enchimento para bonecas de pano e até colchões.

– Quero dizer que a tal vespa está morta e bem enterrada no fundo da terra – explicou a boneca. – Assisti a tudo. Quando ela mordeu sua língua e você fez *pluf*! antes de berrar *ai! ai! ai!*, a jabuticaba cuspida, ainda com a vespa dentro, caiu bem perto de mim. Vi então tudo o que se passou depois que você desceu da árvore, berrando como um bezerro, e foi embora com a língua de fora.

E a boneca contou direitinho o triste fim da pobre vespa.

– Ela ficou ainda quase uma hora enfiada dentro da casca, toda arrebentadinha, movendo ora uma perna, ora outra. Até que parou de se mexer. Tinha morrido. Vieram as formigas cuidar do enterro. Olharam, olharam, estudaram o melhor meio de tirá-la dali. Chamaram outras e, por fim, começaram o trabalho. Cada qual a agarrou por uma perninha e, puxa que puxa, logo a arrancaram de dentro da jabuticaba. E foram arrastando a pobre até a cova, que é o buraquinho onde as formigas moram. Lá pararam e ficaram esperando o fazedor de discursos...

– Orador, Emília!

– FAZEDOR DE DISCURSOS. Ele chegou, com o discursinho debaixo do braço, escrito num papel, e leu, leu, leu que não acabava mais. As formigas ficaram aborrecidas com o besourinho (ele era do Instituto Histórico). Apareceu então um louva-a-deus policial. "O que aconteceu?", perguntou. "Estamos cansadas e com fome e este famoso orador não acaba nunca o seu discurso", disseram as formigas. Logo o soldado resolveu a situação – pegou os papéis do discurso, amassou e enfiou tudo na boca do orador.

Emília continuou explicando:

– As formigas, muito contentes, continuaram o que tinham de fazer e levaram o cadáver da vespa para o fundo da cova. Em seguida, apareceu uma trazendo um letreiro, que fincou num montinho de terra. E colocou a culpa em você, Narizinho.

— Feito isso, as formigas foram embora. Era quase noite fechada – contou a boneca. – No pomar deserto, só ficou o besourinho, sempre engasgado com os papéis. Queria de qualquer forma continuar o discurso. Até que conseguiu destapar-se e imediatamente continuou: "Neste momento solene...". Nisto, um sapo que ia passando, com brilho nos olhos, disse: "Eu cuido disso!". Deu um pulo e engoliu o fazedor de discursos!

— Não reparou, Emília, se esse sapo era o Major Agarra-e-Não-Larga-Mais? – perguntou a menina.

— Não era, não! – respondeu a boneca. – Era o Coronel Come-Orador-com-Discurso-
-e-Tudo...

A pescaria

Afinal acabaram as jabuticabas. Somente nos galhos bem lá do alto é que ainda se via uma ou outra, todas furadinhas pelas vespas.

Rabicó – *rom, rom, rom...* – volta e meia aparecia por ali por força do hábito. Ficava imóvel, muito sério, esperando que caíssem cascas; mas como não caía nada, desistia e ia embora – *rom, rom, rom...*

Narizinho também ainda aparecia de vez em quando, com um galho comprido na mão e com o nariz para o ar, na esperança de "pescar" alguma coisa.

– Eita, menina! – gritou lá do rio Tia Nastácia, numa dessas vezes. – Não basta quase um mês inteiro de *tloc! tloc!* Larga isso e vem me ajudar a estender esta roupa que é melhor.

Narizinho jogou o galho em cima do leitão, que fez *coin!* e foi correndo para o rio, com a Emília de cabeça para baixo, no bolso do avental.

Lá, teve uma ideia: deixar a boneca pescando enquanto ela ajudava Tia Nastácia.

– Tia Nastácia, faz um anzolzinho de alfinete para a Emília. A coitada tem tanta vontade de pescar...

– Era só o que faltava! – respondeu ela. – Eu, com tanto serviço, perder tempo com bobagem.

– Faz? – insistiu a menina. – Alfinete, tenho aqui um. Linha, tem no alinhavo da minha saia. Vara não falta. Faz?

Tia Nastácia não tinha escapatória.

– E tem como não fazer? Faço, sim... Mas se ficar atrasada no serviço, a culpa não é minha.

E fez. Dobrou o alfinete em forma de gancho, amarrou-o na ponta de uma linha e descobriu um galho – de dois palmos, imagine! Narizinho completou a obra, prendendo a vara no braço da boneca.

– E a isca? – perguntou depois.

19

— Isca é o de menos, menina. Qualquer gafanhotinho serve.

Salta daqui, salta dali, Narizinho conseguiu apanhar um gafanhoto verde. Espetou-o no anzol. Depois, arrumou a boneca sentada à beira d'água, imóvel, com uma pedra no colo para não cair.

— Agora, Emília, bico calado! Nem um pio, senão espanta os peixes. Logo que um deles beliscar – *zuct*! –, você dá um puxão na linha.

E, deixando a boneca ali, foi falar com Tia Nastácia.

— Você frita o peixinho da Emília para o jantar, Tia Nastácia? Frita?

— Frito, sim! Frito até no dedo...

— Não tira sarro, não, Tia Nastácia! Emília é danada mesmo. Ninguém nem faz ideia do que ela é capaz.

Nem bem terminou de falar e – *tchibum*!... – a pescadora de pano revirava dentro d'água, com pedra e tudo.

— Corre, Tia Nastácia! Emília está se afogando! – gritou a menina aflita.

De fato. Um peixe engoliu a isca e, lutando para se safar do anzol, arrastou a boneca para o meio do rio.

Tia Nastácia fez um grande galho de gancho e, com muito jeito, foi puxando para a beira do córrego a infeliz pescadora, até onde a menina conseguisse agarrar a boneca.

E assim foi. Mas logo Narizinho ficou espantada, pois viu sair de dentro da água, presa ao anzol da Emília, uma trairinha que mexia o rabo como louca! Tia Nastácia também ficou espantada.

— Credo! Até parece feitiçaria! – resmungou.

Muito contente com aquela aventura toda, Narizinho disparou para casa com o peixe na mão.

— Vovó – gritou ela ao entrar –, adivinhe quem pescou esta trairinha...

Dona Benta olhou e disse:

— Ora, quem mais? Você, minha filha.

— Errou!

— Tia Nastácia, então.

– Que Tia Nastácia, nada!

– Então foi o Saci – brincou Dona Benta.

– Vovó não adivinhou! Pois bem, foi a Emília...

– Está zombando da sua avó, minha filha?

– Juro por Deus que foi a Emília. Pergunte pra Tia Nastácia, se quiser.

Ela vinha entrando com a trouxa de roupa lavada.

– Não foi mesmo, Tia Nastácia? Não foi a Emília quem pescou a trairinha?

– Foi, sim – respondeu ela dirigindo-se para Dona Benta. – Foi a boneca. Você não imagina como essa menina é travessa! Deu um jeito de botar a boneca pescando na beira do rio e o fato é que o peixe tá aí...

Dona Benta abriu a boca.

– Bem diz o ditado que, quanto mais se vive, mais se aprende. Estou com mais de 60 anos e todos os dias aprendo coisas novas com esta minha neta arteira...

– Criança de hoje já nasce sabendo. No meu tempo, menina assim desse tamanho andava com um adulto, de chupeta na boca. Hoje? Credo! Nem é bom falar...

E com a menina dançando à sua frente, Tia Nastácia lá foi para a cozinha fritar a traíra.

As formigas ruivas

Só depois de comer o peixe frito é que Narizinho se lembrou da pobre boneca, encharcada pelo banho no rio.

— Coitada... É bem capaz de pegar uma pneumonia...

E foi correndo cuidar dela. Tirou a roupa da boneca e a colocou num lugar onde batesse bastante sol. De um lado, estendeu suas roupinhas molhadas e do outro, a pobre Emília nua. E já estava de saída quando a boneca fez cara de choro.

— Eu não quero ficar sozinha aqui!

— Por quê, sua enjoada? Tem medo de que o leitão venha espiar esses cambitos magros?

— Espiar não é nada, o problema é que ele é um faminto. Tia Nastácia sempre diz que o Rabicó devora tudo o que encontra pela frente.

— Nesse caso, penduro você na árvore.

— Isso também não! — protestou Emília. — Alguma vespa pode acabar me dando uma ferroada.

— Boba! Não sabe que vespa não ferroa pano?

— Mas e se eu cair com o vento?

— Grande coisa! Boneca de pano quando cai não se machuca. Eu é que não posso ficar neste sol forte à espera de que a excelentíssima senhora Condessa de Três Estrelinhas seque! Quem mandou se molhar?

— Mal-agradecida! Se não fosse a minha molhadela, você não comia a traíra.

— Está pensando que a tal traíra era grande coisa? Só espinha...

— É, mas você comeu com espinha e tudo! E até lambeu os beiços.

— Lábios, aliás. Beiço é de boi. Comi porque quis, sabe? Não tenho que dar satisfações a ninguém – *ahn*! – E Narizinho mostrou a língua para a boneca.

Ficaram ali, as duas emburradas. Narizinho, porém, ficou ao lado da Emília porque, lá no fundo, tinha receio de deixar a boneca sozinha.

Fazia um sol quente e o ar estava parado. Nas árvores, somente um ou outro tico-tico; e no chão, só formiguinhas ruivas. Para matar o tempo, a menina ficou ali observando o corre-corre delas, esquecendo a briga com a boneca.

– Já reparou, Emília, como as formigas conversam? Que pena a gente não entender o que dizem...

– A gente é modo de dizer – replicou Emília – porque eu entendo muito bem o que elas dizem.

– Sério, Emília?

– Sério, sim, Narizinho. Entendo muito bem mesmo e, se você ficar aqui comigo, vou contar todas as historinhas que elas conversam. Repare. Vem vindo aquela de lá e esta de cá. Assim que se encontrarem, vão parar e conversar.

Dito e feito. As formiguinhas encontraram-se, pararam e começaram a trocar sinais de entendimento.

– Não entendi nada! – disse a menina.

– Pois eu entendi tudo – declarou a boneca. – A que veio de lá disse: "Encontrou o cadáver do grilinho verde?". A que veio de cá respondeu: "Não!". A de lá: "Pois volte e procure perto daquela pedra onde mora o besouro manco". Esta formiga que dá ordens deve ser alguém importante lá do formigueiro. Repare seus modos de mandona; está sempre entrando e saindo do buraquinho, como quem dá ordens a uma equipe. A outra, com certeza, é uma simples carregadora.

Deveria ser isso mesmo, porque logo depois chegou uma terceira, muito apressada, que cochichou com a mandona e lá se foi mais apressada ainda.

– O que é que disse esta? – perguntou Narizinho.

– Disse que haviam descoberto uma bela minhoca perto da porteira, mas que precisavam de ajuda para levá-la.

– Emília, você está zombando de mim! – exclamou a menina, desconfiada. – Vou ver e, se não for verdade, você me paga. Espere aí...

E disparou na direção da porteira. Procura que procura, logo achou em certo local uma pobre minhoca se remexendo toda, com várias formiguinhas em cima dela.

Teve vontade de libertar a prisioneira, mas a curiosidade de ver o que aconteceria foi maior – e deixou a triste minhoca entregue ao seu trágico destino.

Novas formiguinhas foram chegando e, de uma vez só – *zás*! –, começaram a ferroar a minhoca sem dó. Não demorou muito e já eram mais de vinte. A minhoca bem que esperneou; por fim, exausta, foi ficando com o corpo mole, mole, até que morreu bem morrida. As formiguinhas então começaram a arrastá-la para o formigueiro.

Que custo! A minhoca era gorda, pesando umas sete arrobas – arrobinhas de formiga –, além disso, ia enganchando pelo caminho em qualquer pedregulho ou capim que estivesse no meio; mas as carregadoras sabiam desviar e resolver todos os obstáculos.

Depois de meia hora de trabalho, chegaram com a minhoca na boca do formigueiro. Aí, nova atrapalhação. Por mais que tentassem, não dava para recolher a minhoca inteira. Então, apareceu a formiga mandona. Examinou o caso e deu ordem para que picassem a minhoca em vários roletes.

Aquilo foi *zás-trás*! Em três tempos, o trabalho foi feito e os roletes de carne foram levados para dentro.

– Sim, senhora! – exclamou a menina, depois de terminada a festa. – Isso é o que se pode chamar de trabalho limpo!

– Bem feito! – disse Emília. – Quem mandou ela ser abelhuda? Se estivesse com as outras lá dentro da terra, que é o lugar das minhocas, nada de mau teria acontecido com ela. Macaco que muito mexe quer chumbo, como diz Tia Nastácia.

Isso foi de dia. À noite, a história das formigas continuou. Narizinho e Emília dormiam juntas na mesma cama. A rede armada entre os pés da cadeira tinha sido abandonada desde que a boneca aprendeu a falar. Dormiam juntas para conversar até que o sono viesse.

– Mas, Emília, como você entende a língua das formigas? – perguntou Narizinho, logo que se deitou.

A boneca refletiu um bocado e respondeu:

– Entendo porque sou de pano.

Narizinho deu uma gargalhada.

– Isso não é resposta de uma pessoa inteligente. O meu vestido também é de pano e não entende coisa nenhuma.

A boneca pensou outra vez.

– Então é porque sou de macela – disse.

Nova risada de Narizinho.

– Também não é resposta. Este travesseiro é de macela e entende as formigas tanto quanto eu.

– Então... então... – engasgou Emília, com o dedinho na testa. – Então não sei.

Era a primeira vez que Emília se embaraçava numa resposta. Primeira e última. Nunca mais houve pergunta que a atrapalhasse.

– Pois se não sabe, é melhor dormir – disse a menina, virando-se para a parede.

Dormiram ambas.

Já eram altas horas, estavam no mais gostoso do sono quando bateram à porta – *toc, toc, toc...*

– Quem é? – perguntou Narizinho sentando-se na cama.

– Sou eu, Rabicó! – grunhiu o leitão entreabrindo a porta com o focinho. – Está aqui uma senhora ruiva que quer entrar.

– Pois que entre! – ordenou a menina.

Rabicó escancarou a porta para dar passagem a uma formiga ruiva, de saiote vermelho e avental de renda. Trazia na cabeça uma bandeja de prata, coberta com guardanapo de papel.

– O que deseja? – indagou a menina cheia de curiosidade.

– Quero entregar à senhora Condessa este presente mandado pela rainha das formigas.

– Condessa? – repetiu Narizinho franzindo a testa. – Que Condessa, minha senhora?

– Condessa de Três Estrelinhas – explicou a formiga.

– Hum! – fez a menina, lembrando-se de que ela mesma havia "condessado" a boneca.

Virou para Emília e deu uma chacoalhada nela.

– Acorde, pedra! O assunto é com Vossa Excelência.

Emília sentou-se na cama. Espreguiçou-se, tonta de sono. E, pensando que ainda conversavam sobre a língua das formigas, disse, num bocejo:

– Então é... é porque sou...

– Não se trata mais disso, idiota! Está aqui, à procura de uma tal Condessa, a criada de uma tal Rainha. Vamos! Acorde de uma vez!

Só então Emília acordou de verdade. Viu a formiga com a bandeja e espichou os braços para receber o presente. Eram croquetes, lindos croquetes tostadinhos.

A boneca sorriu com gosto, toda orgulhosa. A Rainha só se lembrou dela!

– Diga à Sua Majestade que a Condessa de Três Estrelinhas muito agradece o presente. Diga também que os croquetes estão lindos e que ela é uma grande cozinheira.

Narizinho começou a rir sem parar.

– Que ideia, Condessa! Uma rainha lá pode ser cozinheira?

Caindo em si, Emília viu que tinha cometido um erro muito grave entre as pessoas de alta sociedade, chamado "gafe". E logo tentou corrigir seu erro.

– Isto é... diga que a cozinheira dela é muito boa, entendeu? E diga também que os croquetes estão muito gostosos, quer dizer... devem estar muito gostosos. Pode ir.

A criada fez um cumprimento de cabeça antes de retirar-se, mas foi detida por um gesto da menina.

– Não vá ainda – disse ela. E voltando-se para a Emília: – Presente, senhora Condessa, paga-se com presente. Mande à tal Rainha uma perna daquele pernilongo que queimei com a vela antes de deitar.

– É verdade! – exclamou a boneca. – Não me custa nada e ela vai ficar contentíssima.

E começou a engatinhar, procurando o pernilongo assado. Achou o bicho, arrancou uma perninha, enfeitou-o com um laço de fita e, depois de empacotar tudo em papel de seda, colocou o embrulho na bandeja, com um cartão que dizia assim:

À Sua Majestade, a Rainha da Cintura Fina oferece a humilde criada Condessa de Três ★★★

29

– Leve este presente à Rainha, está bem? E você, para se distrair pelo caminho, vá comendo este mocotó de pernilongo – concluiu Emília, dando à criada um cambito de inseto.

A mensageira agradeceu, retirando-se muito satisfeita da vida, com a bandeja na cabeça e o mocotó no ferrão.

Emília fechou a porta e veio examinar os croquetes. Sentiu o cheirinho deles.

– Hum! Estão de dar água na boca. Quer provar um, Narizinho?

A menina torceu o nariz fazendo careta.

– Deus me livre! Juro que é croquete de minhoca.

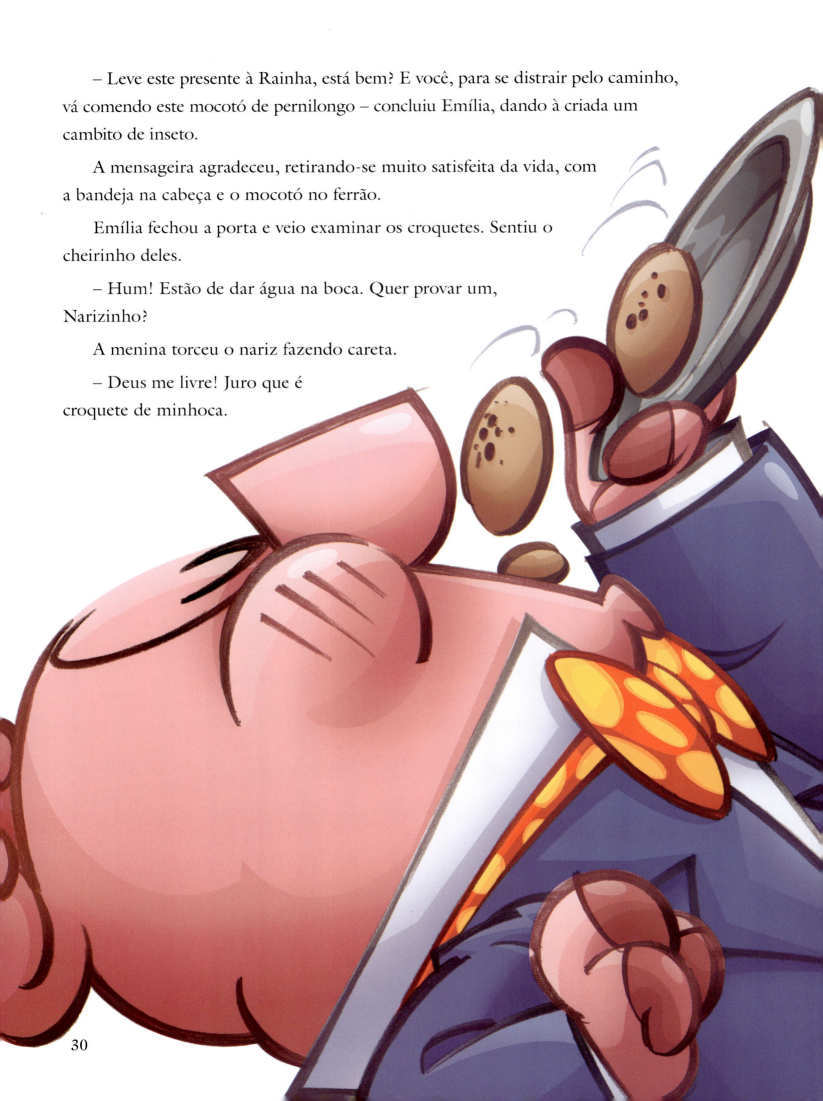

Percebendo que ela falava assim por inveja, a boneca então disse, de propósito:

– Quem desdenha quer comprar...

– Ah, é? Engraçadinha! – replicou a menina com um grande ar de pouco caso.

E vendo a boneca morder um dos croquetes, com os maiores exageros do mundo, como se aquilo fosse um manjar dos céus, fez cara de nojo.

– Está boa mesmo para casar com o Rabicó! Comer croquete de minhoca!

– E se for de minhoca, qual é o problema? – retrucou Emília. – Tanto faz carne de minhoca, de porco, vaca ou frango – tudo é carne. E muito me admira que alguém que comeu ontem no jantar tripa de porco mostre essa cara de nojo por causa de um simples croquete de minhoca.

– Alto lá, senhora Condessa Minhoqueira! Porco é porco e minhoca é minhoca.

– É "por isso mesmo" que eu como minhoca e não como porco! – replicou a boneca, vitoriosa. – Não sou porcalhona.

A discussão foi por aí além. Enquanto isso, o senhor Rabicó farejou os croquetes, chegou de mansinho e, vendo as duas distraídas com a disputa, comeu todos eles com uma engolida só. Terminada a discussão, quando a boneca espichou o braço para pegar um segundo croquete...

– Cadê os croquetes? – gritou ela.

Nem sinal! Emília esperneou de ódio, enquanto Narizinho batia palmas de contentamento.

– Bem feito! Estava muito convencida, não é? Pois tome!

– Quero os meus croquetes! Quero os meus croquetes! – berrava Emília, batendo o pé num grande desespero.

– Se quer os seus croquetes, cobre de quem pegou.

– Quem foi?

– Quem mais se não Rabicó? Vai ver ele está aqui pelo quarto, escondido debaixo da cama.

Emília começou a procurar e logo descobriu o ladrão num canto, roncando de papo cheio.

– Você me paga! – gritou ela, passando a mão na vassoura. E – *pá! pá! pá!...* – varreu o leitão para longe dali, enquanto Narizinho rolava na cama de tanto rir, pensando: "Se antes de casar é assim, imagine depois!".

Isso porque ela andava alimentando o projeto de casar Emília com Rabicó.

32

Pedrinho

Chegou afinal o grande dia. Na véspera, Dona Benta recebeu uma carta de Pedrinho, que começava assim:

> Vou praí no dia 6. Deixe o cavalo pangaré na estação e não se esqueça do chicotinho de cabo de prata que deixei pendurado atrás da porta do quarto de hóspedes. Narizinho sabe qual é. Quero que Narizinho me espere na porteira do pasto, com a Emília no seu vestido novo e Rabicó de laço de fita na cauda. E Tia Nastácia que prepare um daqueles cafés com bolinhos de frigideira que só ela sabe fazer.

Assim, Narizinho levantou muito cedo para preparar a recepção de acordo com as instruções da carta. Colocou o vestido novo de chita cor-de-rosa com pintinhas na Emília e enfeitou Rabicó com duas fitas – uma no pescoço e outra na ponta da cauda.

Pac, pac, pac... Pedrinho apareceu na porteira, trotando no pangaré, corado do sol e alegre como um passarinho.

– Viva! – gritou a menina, correndo para segurar a rédea do cavalo. – Apeie* depressa, senhor doutor, pois temos mil coisas para conversar!

Pedrinho desceu do pangaré, abraçou a prima e não resistiu à tentação de ali mesmo abrir o pacote dos presentes para tirar de lá de dentro o dela.

* Apear = desmontar de um cavalo.

– Adivinhe o que eu trouxe para você! – disse, escondendo atrás das costas um embrulho volumoso.

– Já sei – respondeu logo a menina. – Uma boneca que chora e abre e fecha os olhos.

Pedrinho ficou desapontado, porque era justamente o que havia trazido.

– Como adivinhou, Narizinho?

A menina deu uma risada gostosa.

– Grande coisa! Adivinhei porque conheço você. Fique sabendo, seu bobo, que as meninas são muito mais espertas que os meninos...

– Mas não têm mais muque! – replicou ele com orgulho, fazendo a prima apalpar seu bíceps musculoso que havia ganhado com a educação física da escola. E concluiu: – Com este muque e a sua esperteza, Narizinho, quero ver quem pode com a gente!

Os presentes dos demais foram também distribuídos ali mesmo. Rabicó ganhou uma fita nova, de seda – e os restos do lanche que Pedrinho comera durante a viagem (e foi isso o que ele mais apreciou). Emília ganhou um jogo de cozinha completo: fogãozinho de lata, panelas e até um rolo para fazer pastel de massa folhada.

– E para a vovó, o que você trouxe? – perguntou Narizinho.

– Adivinhe, já que é tão adivinhadeira – disse ele.

– Eu só adivinho quando é você mesmo quem escolhe os presentes. Mas o presente da vovó aposto que não foi você quem escolheu, foi tia Antonica...

Pela segunda vez Pedrinho abriu a boca. Aquela prima, apesar de viver na roça, estava se tornando mais esperta do que todas as meninas da cidade.

– Tem razão. É isso mesmo. O presente da vovó quem escolheu e comprou foi a mamãe. Você precisa me ensinar o segredo de adivinhar as coisas, Narizinho...

Nesse momento, Dona Benta apareceu na varanda e Pedrinho correu para abraçá-la.

Logo depois estavam todos reunidos na sala de jantar, ouvindo notícias e histórias da cidade. Tia Nastácia trouxe da cozinha o tacho com massa, para não perder uma só palavra, ao mesmo tempo que ia enrolando os bolinhos. De repente, uma brisa soprou mais forte e um rangido se fez ouvir – *nhem, nhim...*

Pedrinho interrompeu a conversa, de ouvido atento.

– O mastro de São João... – murmurou pensativo. – Quantas vezes no colégio, escutando os rangidos das portas, imaginei que era a bandeira do nosso mastro! Como vai ele?

– Já desbotado pelas chuvas e com um grande rasgo na bandeira, bem em cima da cabeça do carneirinho – respondeu a menina.

O dia de São João era um dia de festa no Sítio do Picapau Amarelo. Todas as crianças dos arredores se encontravam lá para soltar bombinhas e também dançar e correr em torno da fogueira. Pedrinho jamais faltou a essa festa anual, como também jamais deixou de queimar o dedo. No ano em que não queimou o dedo, achou aquilo até estranho.

Nos últimos tempos, era Pedrinho quem pintava o mastro, caprichando em formar arabescos de todas as cores, cada ano de um estilo diferente. Também era ele quem escolhia a bandeira com o retrato de São João menino, com a cruz no ombro e o cordeiro no braço. Trazia a bandeira da cidade, depois de percorrer todas as lojas até comprar a mais bonita que encontrasse.

– Está bem – disse Dona Benta logo que soube das principais novidades. – Pode ir brincar com Narizinho, que tem um mundo de coisas para contar.

Os dois primos foram para o pomar saltitando. Era lá, debaixo das velhas árvores, que trocavam confidências e planejavam grandes aventuras pelo mundo das maravilhas.

O assunto do dia foi o extraordinário caso da boneca.

– É realmente incrível! – dizia Pedrinho. – Quando recebi sua carta contando que Emília falava, não quis acreditar. Mas hoje vejo que fala, e fala muito bem. É espantoso!

– No começo – explicou Narizinho – Emília falava de um jeito muito atrapalhado e sem propósito. Agora já está melhor, mas, mesmo assim, quando começa a falar tolices ou a teimar, ninguém pode com ela. Já sabe que ela agora é Condessa?

– É mesmo? Condessa de quê?

— De Três Estrelinhas, nome que ela mesma escolheu. Mas estou com vontade de mudar. Condessa é pouco. Emília merece ser marquesa.

— Marquesa de Santos?

— Não. Marquesa de Rabicó.

— É verdade! Podemos fazer de Rabicó um Marquês e casar Emília com ele!

— Isso mesmo. Tenho pensado muito nesse arranjo e até já propus tudo à Emília.

— E ela aceitou?

— Emília é muito vaidosa e cheia de si. Mas eu sei lidar com ela. Quando chegar a hora, darei um jeito.

Terminado o assunto Emília, começou o assunto Reino das Águas Claras. Narizinho contou a série inteira daquelas aventuras maravilhosas, despertando em Pedrinho um desejo louco de também conhecer o príncipe-rei. Ele não se admirou com nada, era sempre assim. Tanto ele como Narizinho achavam tudo tão natural... Só estranhou que o Pequeno Polegar tivesse fugido da sua história.

– Isso, sim, não deixa de me intrigar – disse ele. – Se Polegar fugiu, é porque a história está embolorada. Se a história está embolorada, temos de botá-la pra fora e compor outra. Faz muito tempo que estou com essa ideia na cabeça: fazer todos os personagens fugirem das velhas histórias para virem aqui combinar conosco outras aventuras. Seria o máximo, não?

– Nem me fale, Pedrinho! – exclamou a menina pensativa. – O que eu não daria para brincar neste sítio com a Chapeuzinho Vermelho ou a Branca de Neve...

– Eu só queria bater um papo com o Aladim da lâmpada maravilhosa! – completou Pedrinho, que voltara da cidade cheio de valentia.

– E eu só queria mesmo era encontrar com a Chapeuzinho. Tenho tanta simpatia por essa menina... Aqueles bolos que ela costumava levar para a vovó que o lobo comeu – que vontade de comer um daqueles bolos...

Uma voz conhecida veio interrompê-los:

– Narizinho! Pedrinho! O café está na mesa.

– Duvido que fossem melhores do que os da Tia Nastácia! – disse o menino levantando-se.

E dispararam para a casa.

A viagem

Deitaram bem tarde naquela noite. Era tanta coisa que o menino tinha para contar, coisas da casa da Dona Antonica e da escola, que somente às onze horas foram para a cama. Que sono bom! Isto é, bom até certa hora. Daí por diante, o sono desandou.

Narizinho estava justamente no meio de um lindo sonho quando despertou de sobressalto, com umas pancadinhas de chicote na vidraça – *pen, pen, pen...* – E logo em seguida ouviu a voz do Marquês de Rabicó, que dizia:

– O sol não tarda, Narizinho. Pule da cama que é hora de partir.

Olhando pela janela, viu o Marquês montado num cavalinho de pau à sua espera.

– E a Condessa? Já está pronta? – perguntou a menina.

– A Senhora Condessa já está lá embaixo, montada no cavalo pampa.

– Pois então selem o pangaré para mim. Eu me visto em três tempos.

Enquanto por ordem do Marquês selavam o cavalo pangaré, a menina punha o seu vestido vermelho de bolso. Precisava de bolso para levar os bolinhos da Tia Nastácia (que haviam sobrado da véspera) e também para trazer coisas do Reino das Abelhas.

Porque era para o Reino das Abelhas que eles iam, a convite da rainha. Reino das Abelhas ou das Vespas? Não tinham certeza ainda. Na véspera chegara um maribondo mensageiro com um convite assim:

Como o papelzinho estava rasgado num ponto, havia dúvida se o convite era da Rainha das Vespas ou da Rainha das Abelhas.

Narizinho respondeu ao convite por meio de um borboletograma. Não sabe o que é? Invenção da Emília. Como não tinha como mandar um telegrama para lá, a boneca teve a ideia de mandar a resposta escrita em asas de borboleta. Agarrou uma borboleta-azul que ia passando e rabiscou com um espinho na asa dela:

– Por que não incluiu o nome do Pedrinho, Emília? – perguntou a menina.

– Porque ele não é nobre! Nem barão é ainda!

Assim que o borboletograma foi escrito, surgiu uma dificuldade. A quem endereçá-lo? À Rainha das Vespas ou à das Abelhas?

– Já resolvo o caso – disse Emília, e soltou a borboleta. – Vai direitinho, hein? Nada de se distrair com flores pelo caminho.

– Ir para onde? – perguntou a borboleta.

– Para a casa de seu sogro, ouviu? Malcriada! Atreve-se a fazer perguntas a uma Condessa!

– Mas... – ia dizendo humildemente a borboleta. Emília, porém, interrompeu-a com um berro.

– Ponha-se daqui para fora! Não admito observações.

A borboleta lá se foi, amedrontada e desapontadíssima.

– Você parece uma louca, Emília! – observou Narizinho. – Como ela vai saber o endereço se você não deu nenhum endereço?

– Sabe, sim! – respondeu a boneca. – São umas sabidíssimas as senhoras borboletas. Se sabem fabricar pó azul para as asas, que é coisa dificílima, como não saberão o endereço de um borboletograma?

Narizinho fez cara de quem diz: "Ninguém pode entender como funciona a cabeça da Emília! Ora raciocina muito bem, assim como gente. Outras vezes, é assim, tão torta que deixa uma pessoa atrapalhada…".

O cavalo pangaré veio, a menina montou e partiram todos pela estrada afora – *pac*, *pac*, *pac*... – Em certo ponto, Narizinho disse à boneca:

– Vamos apostar corrida?

Emília aceitou, muito empolgada.

– Então, vamos!

Emília – *lept*, *lept*! – chicoteou o cavalinho pampa, disparando numa galopada louca. Narizinho, porém, não se moveu do lugar. O que queria era ficar a sós com o Marquês de Rabicó para uma conversa reservada – o casamento dele com a Condessa.

– Mas, afinal de contas, Marquês, quer ou não quer se casar com a Condessa?

– Já disse que sim, isto é, que casarei, se o dote for bom. Se me derem, por exemplo, dois cargueiros de milho, casarei com quem quiserem – com a cadeira, com o pote d'água, com a vassoura. Nunca fui exigente em matéria matrimonial.

– Guloso! Entenda, você vai fazer um casamentão! Emília pode não ser linda, mas sabe fazer absolutamente tudo, até fios de ovos, que é um doce muito difícil. Pena ser tão fraquinha...

– Fraca? – exclamou o Marquês admirado. – Não me parece. Ela está tão gorda...

– Engano seu. Desde que caiu na água e quase se afogou, Emília parece ter ficado desarranjada do fígado. E aquela gordura não é banha, não; é macela! Emília está é estufada. Ainda mais porque, na semana passada, Tia Nastácia a recheou com mais macela.

O Marquês pensou: "Que pena ela não ter sido recheada de fubá!", mas não teve coragem de dizer aquilo em voz alta, e falou outra coisa:

– Pois pensei que fosse gordurinha mesmo, como um bom toucinho...

– Que esperança! Toucinho do bom está aqui – disse a menina, apalpando a barriga do porco. – E ele daria um torresminho delicioso! – E lambeu os lábios, já com água na boca. – Felizmente o dia de Ano-Bom está próximo...

Dia de Ano-Bom (o primeiro dia do ano) era dia de leitão assado no sítio, mas Rabicó não sabia disso.

– Dia de Ano-Bom? – repetiu ele sem compreender nada. – O que tem isso a ver com o meu toucinho?

– Nada! É só uma coisa que eu sei e não é da sua conta – respondeu a menina piscando o olho.

E assim, nessa conversa, alcançaram a Condessa, que estava lá na frente, furiosa por ter sido tapeada.

– Não achei graça nenhuma! – Emília foi logo dizendo assim que a menina chegou. – Nem parece coisa de uma princesa (Emília só a tratava como princesa nas brigas).

– Pois eu, Emília, estou achando uma graça extraordinária na sua braveza! Sua cara está mais parecendo aquele bule velho de chá com esse bico...

Mais zangada ainda, Emília mostrou a língua para a menina e, dando uma chicotada no cavalinho, tocou para a frente, resmungando alto:

– Princesa... Princesa que ainda leva bronca de Dona Benta e Tia Nastácia! E tira caca do nariz... Antipatia!

Calúnias puras. Narizinho não levava broncas, nem tirava caca do nariz. Emília, sim...

O assalto

Nessa hora, escutaram algum barulhinho vindo do mato à beira da estrada. Os cavalinhos se assustaram e empinaram.

— A quadrilha Chupa-Ovo! — gritou Emília aterrorizada, erguendo os braços como no cinema. Narizinho também empalideceu e procurou instintivamente agarrar-se ao Marquês de Rabicó. Mas o Marquês já havia pulado no chão e sumido...

— A bolsa ou a vida! — intimou o chefe da quadrilha.

Narizinho, tremendo, olhou para ele e franziu a testa. "Eu conheço este rosto!", pensou. "É Tom Mix*, o grande herói do cinema! Mas quem imaginaria que esse famoso caubói, tão simpático, acabaria assim, chefe de uma quadrilha de lagartos?"

— A bolsa ou a vida! — repetiu Tom Mix carrancudo.

— Bolsa não temos, senhor Tom Mix — disse a menina. — Mas tenho uns bolinhos muito gostosos. Aceita um?

O bandido pegou um bolo e provou.

— Não gosto de bolo amanhecido! — respondeu cuspindo de lado. — Quero ouro de verdade!

Assim que ele falou em ouro, Narizinho teve uma ideia de gênio.

— Perfeitamente, senhor Tom Mix. Vou arranjar um montinho de ouro puro, do bem amarelo. Mas tem de prometer uma porção de coisas...

— Prometo tudo que quiser — retrucou o bandido, já mais amável com a ideia do montinho de ouro.

— Então passe para cá o seu alforje e mais uma tesourinha.

---

* Tom Mix, nome artístico de Thomas Hezikiah Mix, foi um ator norte-americano, um dos primeiros grandes ídolos do cinema. De grande sucesso na era do cinema mudo, atuou com mais destaque no gênero *western*. Para reforçar o personagem que interpretava, Tom Mix tornou-se, na vida real, o caubói-herói das telas, contando aventuras fantasiosas como feitos de sua vida real que nunca de fato aconteceram.

Sem compreender nada, Tom Mix foi dando o que ela pedia: o alforje (a bolsa que fica presa à sela do cavalo) e a tal tesourinha. Narizinho, então, chamou Emília para conversar num cantinho e cochichou ao ouvido da Condessa qualquer coisa. A boneca não gostou, pois bateu o pé, exclamando:

– Nunca! Antes morrer...

Tanto Narizinho insistiu, porém, que Emília acabou cedendo, entre soluços e suspiros de desespero. Depois, erguendo a saia até os joelhos, espichou uma das pernas sobre o colo da menina. Esta, muito séria, como quem faz uma operação da mais alta importância, desfez a costura da barriga da perna e despejou toda a macela do recheio no alforje de Tom Mix. Em seguida, levantou-se e disse:

– Aqui tem o seu alforje cheio de ouro-macela, senhor Tom Mix!

– Muito bem – respondeu o bandido com os olhos brilhando diante de tanto ouro. – A menina está livre agora e pode contar comigo como um servo dedicado. Nos momentos de perigo, basta gritar "Mix, Mix, Mix!" que imediatamente aparecerei para salvá-la.

Cumprimentou a menina com o chapelão de abas largas e foi embora, seguido por seus lagartos.

Logo depois que o bandido e seus capangas foram embora, Narizinho respirou aliviada.

– Ufa! – exclamou. – Escapamos de boa! Vamos continuar a nossa viagem, Emília. – E tratou de montar novamente. Um, dois, três – upa! Montou. Emília também – um, dois, três... e nada! Não conseguiu montar.

– Ai! – gemeu sacudindo a perninha saqueada. – Não consigo andar nem montar com esta perna vazia!

Apesar do triste da situação, Narizinho soltou uma risadinha.

– Sua malvada! – exclamou Emília chorosa. – Salvei você da morte à custa da minha pobre perna e em troca você ri da minha cara...

47

– Ai, me perdoa, Emília! É verdade que me salvou, mas se soubesse como está engraçada com essa perna vazia... O melhor é vir comigo na garupa do pangaré, bem agarradinha. Dá aqui a sua mão. Upa!

Com alguma dificuldade conseguiu acomodá-la na garupa do cavalinho, lembrando que ela deveria se segurar muito bem, pois tinham de ir a galope.

– Pode ficar tranquila, Narizinho, porque daqui ninguém me tira! – respondeu Emília.

A menina estalou o chicote e o pangaré partiu, galopando e erguendo nuvens de pó – *pá-lá-lá, pá-lá-lá*! De repente:

– Que fim levou o Marquês? – perguntou Emília olhando para trás.

Narizinho fez o cavalo parar.

– É verdade... Aquele covarde comportou-se de tal maneira que a coisa não pode ficar assim. Vou me vingar, e é já, quer ver?

Virou para o mato e gritou:

– Mix, Mix, Mix!

Imediatamente Tom Mix surgiu diante dela.

– Amigo Tom Mix – disse Narizinho –, fui covardemente traída pelo senhor Marquês de Rabicó, um porco preguiçoso e muito medroso que, ao ver o perigo, só se preocupou com ele mesmo, fugindo rapidamente. Quero ser vingada imediatamente, está entendendo?

– Sereis vingada, ó gentil princesa! – disse Tom Mix estendendo a mão como quem faz um juramento. – Mas de que forma quereis ser vingada, ó gentil princesa?

Narizinho respondeu depois de pensar alguns instantes:

– Minha vingança tem de ser esta: quero comer amanhã, no almoço, virado de feijão com torresmo, mas torresmo de Marquês, está ouvindo? – explicou ela, piscando um olho. Na verdade, a menina queria dar um belo susto no Rabicó.

– Vossa vontade será satisfeita, ó gentil princesa! – disse o bandido, levando tudo ao pé da letra. Ele então se curvou com a mão no peito e desapareceu.

– Coitado do Rabicó! – exclamou Emília aflita.

– Coitado nada! Rabicó precisa aprender uma boa lição. E esta vai servir para toda a vida. Nunca mais vai aprontar...

Tom Mix

Assim que partiu, Tom Mix voltou ao lugar do assalto, para encontrar alguma pista de Rabicó. Logo descobriu rastros dele na terra úmida e seguiu seus passos até a floresta. Lá se guiou pelas ervinhas amassadas e por outros sinais que na fuga ele foi deixando. E andou, andou, andou até que, de repente, ouviu um ruído suspeito.

"É ele!", pensou Tom Mix agachando e, pé ante pé, sem fazer o menor barulhinho, aproximou-se do lugar de onde partia o ruído suspeito. Espiou. Lá estava o Marquês – *rom, rom, rom* – com a cabeça enfiada dentro de uma abóbora muito grande, tão entretido em devorá-la que não percebeu a presença do terrível vingador.

Tom Mix foi chegando, foi chegando e, de repente... – *nhoc*! – agarrou o Marquês por uma perna.

– *Coin! coin! coin*! – grunhiu o ilustre fidalgo.

— Peço perdão a Vossa Excelência – disse Tom Mix com ironia –, mas estou cumprindo ordens da senhora Princesa do Narizinho Arrebitado.

— E o que Narizinho quer de mim? – gemeu Rabicó desconfiado.

— Pouca coisa – respondeu o vingador. – Apenas uns torresminhos para enfeitar um tutu de feijão amanhã...

— *Coin! Coin! Coin*! – gemeu o Marquês compreendendo tudo.

E foi suando frio no focinho que implorou:

— Tenha dó de mim, senhor bandido! Tenha piedade de mim! Eu lhe dou esta abóbora e mais outra maior que escondi ali na frente...

Tom Mix parece que não gostava de abóbora. Puxou uma faca e ficou afiando o instrumento no couro da bota. Sim, Tom Mix não tinha entendido que a intenção de Narizinho era apenas dar um susto no leitão! Percebendo que estava perdido, Rabicó teve uma ideia.

– Senhor bandido, poderia me fazer um favor, por gentileza?

– Diga o que é – respondeu Tom Mix calmamente, sempre afiando a faca.

– Quero que me conceda cinco minutos de vida. Preciso fazer o testamento e confiar minhas últimas palavras a essa libelinha que vai passando.

Tom Mix concedeu os cinco minutos. Rabicó chamou a libelinha.

– Amiga, vou dar para você um lindo lago azul onde possa voar a vida inteira, se me fizer um pequeno favor.

– Diga o que é – respondeu a libelinha, vindo pousar na frente dele.

– Preciso que leve uma carta à Princesa Narizinho, que deve estar no Reino das Abelhas.

– Com muito prazer.

Rabicó fez a carta depressa. A libelinha segurou-a no ferrão e – *zzzit*! – lá se foi, veloz como o pensamento. Mal a viu partir, Rabicó soltou um suspiro de alívio, murmurando em voz alta:

– Coragem, Rabicó, seu dia não chegará tão cedo!

– O que é que está grunhindo aí, senhor Marquês? – perguntou o carrasco.

Rabicó disfarçou.

– Estou pensando na sua valentia, senhor Tom Mix. Está assim tranquilo comigo porque sou um pobre coitadinho. Queria ver a sua cara se Lampião aparecesse por aqui com os seus cinquenta cangaceiros!

– E eu lá tenho medo de lampiões ou lamparinas? O Marquês não me conhece. Tenho uma pergunta: costuma ir ao cinema?

– Nunca. Mas sei o que é.

– Se não conhece o cinema, não faz ideia do meu formidável heroísmo! Não há um só filme em que eu seja derrotado, seja lá por quem for. Venço sempre!

Rabicó olhou de lado para o caubói, pensando: "Grandíssimo fingido é o que você é". Pensou, mas não disse nada. Só de olhar aquela faca ficava sem voz, sem conseguir falar uma palavra sequer...

As muletas do besouro

Enquanto Rabicó suava o suor da morte nas unhas de Tom Mix, Narizinho e Emília chegavam ao Palácio das Colmeias, de onde vários zangões saíram para recebê-las com muitos cumprimentos.

— Salve, Princesinha do Narizinho Arrebitado! — exclamaram eles, curvando-se.

— Obrigada! — respondeu a menina, estendendo sua mão para que a beijassem. — Recebi um convite da Rainha, mas estou em dúvida se foi da Rainha das Abelhas ou da Rainha das Vespas. Vim até aqui para saber...

— O convite foi da Rainha das Abelhas — declarou um dos zangões. — Fui eu mesmo quem o redigiu. A Rainha das Vespas anda furiosa com a menina por ter matado uma de suas súditas.

— Está vendo, Emília, do que escapamos? — cochichou Narizinho. — Se tivéssemos errado o caminho e ido parar na Terra das Vespas, com certeza nos matavam a ferroadas...

E voltando-se para os zangões:

— Permitam-me, senhores, que vos apresente a senhora Condessa de Três Estrelinhas. Esta ilustre dama foi vítima de um desastre no caminho e não consegue andar sem apoio. Algum dos nobres senhores poderia arranjar um par de muletas para ela?

— Podemos, sim, mas antes deverá consultar o grande médico que por acaso está aqui, vindo do Reino das Águas Claras.

— O Doutor Caramujo está aqui? — exclamou a menina muito alegre. — Conheço-o muito bem! Chamem o doutor, depressa.

Os zangões partiram rapidamente, regressando instantes depois com o Doutor Caramujo, que, reconhecendo a menina e a boneca, cumprimentou as duas.

Depois arrumou os óculos para examinar a perna de Emília.

— É grave! — exclamou. — A senhora Condessa está sofrendo de uma anemia macelar no pernil barrigoide esquerdo. Caso muito sério.

– E qual é o remédio, doutor? Pílula de sapo outra vez? – indagou a menina.

– Esta doença – explicou o grande médico – só pode sarar com um regime de superalimentação local.

– Alimentação macelar, eu sei – disse a menina, rindo da ciência do doutor. – Tia Nastácia sabe aplicar esse remédio muito bem. Em dois minutos, com um bocado de macela, linha e agulha, ela cura Emília para o resto da vida.

– Tia Nastácia! – exclamou o médico escandalizado. – Macela?! Santa ignorância! Fico surpreso em ver uma Princesa tão ilustre desprezar assim a ciência de um verdadeiro discípulo de Hipócrates e entregar a Condessa aos cuidados de uma pessoa não estudada, que não sabe nada de ciência!

– Não fale assim de Tia Nastácia! – exclamou a menina indignada. – Se tem algum amor à casca, por favor, senhor Cascudo, vá embora antes que eu dê um jeito no senhor, assim como fiz com a tal Dona Carochinha.

O Doutor Caramujo meteu o rabo entre as pernas e sumiu. Narizinho ainda comentava aquele absurdo quando os zangões apareceram.

– Aqui no palácio não há muletas, senhora Princesa, mas aí fora tem um besouro manco que possui duas, está sempre por aqui por perto. Quer ir até lá conosco?

Narizinho foi. Três esquinas adiante encontraram o besouro mendigo. A menina já ia dar um pedacinho de bolo para o besouro quando ele perguntou:

– Não me reconhece mais?

– Sim! Estou reconhecendo... Não foi você que lá na beira do ribeirão passeou pela minha cara e arrancou alguns fios da minha sobrancelha?

– Isso mesmo! – confirmou o besouro. – E foi por causa daquele espirro que levei um tombo de mau jeito e fiquei aleijado para o resto da vida.

Arrependida por conta daquela tragédia, Narizinho pôs o besouro no bolso e falou:

– Fique quietinho aí e divirta-se com esses bolos. Vou levar você para o sítio da vovó, onde poderá viver uma vida sossegada sem precisar pedir esmolas.

Depois, entregou suas muletinhas à boneca.

– Vamos logo com isso, senhora Condessa da Perna Vazia, ajeite-se com as muletas, pois está na hora da audiência.

E, seguidas pelos zangões, as duas de novo entraram no palácio.

Saudades

O palácio já estava cheio, não só de personagens do Reino das Abelhas, mas também com personagens de muitos outros reinos, inclusive os das Águas Claras. Narizinho olhou ao redor procurando algum conhecido. Viu logo o Major Agarra.

– Viva, Major! – exclamou, dirigindo-se a ele alegremente. – Como vão todos por lá?

Antes de dar notícias, o sapo demonstrou mais uma vez a sua gratidão pelo que a menina havia feito, desculpando-se também por não ter aparecido no sítio de Dona Benta, como prometera. Depois contou que o príncipe andava cada vez mais taciturno.

– Não se casou ainda?

55

– De forma alguma. Tem recusado a mão das mais belas princesas do reino. Todos dizem que ele sofre de paixão recolhida. Ama alguém que não liga para ele, é isso.

O coração da menina bateu mais apressado.

– Não dizem por lá quem é essa que ele ama?

– Dona Aranha Costureira sabe quem é, mas guarda o segredo muito bem guardado. Ela é muito discreta.

– E o bobinho da corte, aquele tal gigante Fura-Bolos?

– Nunca mais foi visto. Com certeza teve o mesmo fim do Carlito Pirulito...

Narizinho refletiu uns instantes. Depois:

– Olhe, quando voltar, não se esqueça de dizer ao príncipe que me viu aqui e que vou bem, obrigada. Diga também que qualquer dia receberá um convite para vir com toda a sua corte passar uma tarde no sítio da vovó, está bem?

O Major prometeu não se esquecer do recado. E ia dizer mais alguma coisa, quando a entrada de uma libelinha mensageira o interrompeu.

– Salve, Princesa! – exclamou ela.

– Viva! – correspondeu a menina franzindo os olhos. – Traz alguma mensagem para mim?

– Trago uma carta de um ilustre Marquês. Aqui está.

Narizinho pegou a carta e leu:

Pesso-Vos-Lhe Perdão Pela Minha Kovardia Tommíques Stá Aqui Amolando A Phaca Pra Me Matttar. Tenha Dóó Deste Infeliz, Que Se Assina, Com Perdão Da Palavra, Criado Amigo Brigado Rabico.

— O estilo, a letra, a ortografia e a gramática, é tudo dele! Este bilhete corresponde a um perfeito retrato de Rabicó, ou Rabico, sem acento, como ele assina. Grandíssimo patife!

E voltando-se para a libelinha:

— Onde ele está?

— No Capoeirão dos Tucanos Vermelhos, lá na terra dos lagartões. Prometeu para mim um lindo lago azul como forma de pagamento pelo meu trabalho de trazer esta carta.

Narizinho não pôde deixar de sorrir, pensando: "Sempre o mesmo! Onde é que Rabicó já viu lago azul?". Mas não quis desiludir a mensageira, pois precisava dos seus serviços para a resposta. Rabiscou um bilhete na mesma hora.

— Leve este bilhete a Tom Mix, mas depressa, hein? E quando quiser aparecer lá no sítio da vovó, não faça cerimônia, ouviu? Vá, vá!

A libelinha vibrou as asas e – *zuct*! – desapareceu. Voou rápida como o pensamento. Chegou ao Capoeirão dos Tucanos Vermelhos no instante em que os cinco minutos concedidos a Rabicó iam chegando ao fim e o carrasco já dizia, erguendo a faca:

— Seu prazo acabou. Chegou a sua hora, Marquês!

Mas Tom Mix teve de interromper o que ia fazer. A libelinha sentou justamente na ponta do seu nariz, com o bilhete no ferrão. Tom Mix pegou o bilhete e leu. Era ordem de perdão a Rabicó.

— Tem muita sorte o senhor Marquês! – disse ele, enfiando a faca na bainha. – A Princesa perdoa seu crime e troca a pena de morte por esta outra mais leve. – E deu um formidável pontapé no leitão.

— *Ufa*! – exclamou Rabicó depois que se viu livre do perigo. – Escapei de boa! Pontapé de um bruto desses não é nada agradável, mas mesmo assim deve ser mil vezes preferível às suas facadas...

Depois perguntou para a mensageira:

— Onde está a Princesa?

— No Reino das Abelhas.

— E a Condessa?

— Também está lá, num canto, muito jururu com suas muletas.

— Muletas? – repetiu Rabicó sem compreender nada. – Será que caiu do cavalo?

– Não sei, não tive tempo de perguntar.

Rabicó ficou pensativo por alguns instantes. Depois disse:

– Está certo. Pode ir. Passe bem, muito obrigado.

A mensageira franziu o nariz.

– E o meu lago azul?

Rabicó, que tinha uma memória péssima para as suas promessas, fez cara de surpresa.

– Lago? Que lago?

– O lago azul que me prometeu em troca de levar a carta...

– Ah, sim... Mas… pra que você quer um lago? E logo um lago azul? Eu prometi um lago, é verdade, mas, refletindo melhor, percebo que esse é um presente muito perigoso, pois você pode até morrer afogada. Assim, achei melhor substituir esse lago por esta sementinha de abóbora. Tome!

A libelinha ficou furiosa.

– Muito agradecida, senhor. Trato é trato. Faço questão do meu lago azul!

O Marquês coçou a cabeça, embaraçado, lançando olhares gulosos para a abóbora que estava comendo quando Tom Mix apareceu.

– Vamos deixar isso para resolver amanhã – disse por fim. – Agora não posso; tenho muito trabalho. Veja só, Tom Mix me condenou a comer esta abóbora inteirinha – a mim, um Marquês que está acostumado a só comer bombons e presuntos...

A Rainha

Enquanto isso se passava no Capoeirão dos Tucanos Vermelhos, lá no Palácio das Abelhas a menina dizia ao ouvido da boneca:

– Já reparou, Emília, como é bem-arrumado este reino? Uma verdadeira maravilha de ordem, economia e inteligência! Estive no quarto das crianças. Que gracinha! Cada qual no seu berço de cera, com pernas e braços cruzados, todas dormindo aquele sono gostoso... O que admiro mesmo é como as abelhas sabem aproveitar o espaço. Como sabem economizar a cera, tudo disposto de modo que a colmeia funcione como se fosse um relógio. Ah, se no nosso reino também fosse assim... Aqui não há pobres nem ricos. Todos trabalham, felizes e contentes.

– Isso não é verdade! – contestou a boneca. – O besouro é aleijado e pede esmolas.

– Besouro não é abelha, boba. Estou falando das abelhas.

– E quem manda aqui? Quem é o delegado? – perguntou Emília.

– Ninguém manda, e é isso o mais curioso. Ninguém manda e todos obedecem.

– Não pode ser! – exclamou a boneca. – Quem manda deve ser a Rainha. Vou perguntar. – E chamou uma abelha que ia passando.

– Faça o favor, senhora abelhinha, de nos dar uma informação. Quem é, afinal de contas, que manda neste reino? A Rainha?

– Não, senhora! – respondeu a abelha. – Nós não temos governo, porque não precisamos de governo. Cada qual já nasce com o governo dentro de si, sabendo perfeitamente o que deve e o que não deve fazer. Nesse ponto, somos perfeitas.

Narizinho ficou admirada com aquelas ideias, e viu que era assim mesmo. "Que pena que também não seja assim na humanidade!".

– De manhã, logo cedo, todas saímos – continuou a abelha –, cada uma para o seu lado, para recolher o mel das flores e o pólen. É disso que nos alimentamos. Depois guardamos o mel nos favos. Se há alguma coisa que precisa de conserto, qualquer uma de nós faz sem que seja preciso receber uma ordem. Se a menina passasse uns tempos aqui, ia gostar tanto que depois não se adaptaria mais ao reino dos homens.

– Mas e a Rainha? – perguntou a menina. – Estou cansada de esperar pela hora de conhecer essa grande dama. Deve ser linda, linda...

A abelha continuou:

– Você pensa que nossa Rainha é alguma dama emproada como as rainhas dos homens? Nada disso. Nem Rainha é! Os homens é que a chamam assim. Para nós, não passa de mãe. Somos todas filhinhas dela – todas, todas! E a enchemos de cuidados e carinho, sem nunca dar a ela o menor desgosto. Olhe, menina, lá no reino dos homens costumam falar muito em felicidade, mas tenha certeza de que felicidade só existe aqui. Cada uma de nós é feliz porque todas somos felizes. Lá não sei como alguém pode ser feliz sabendo que há tantos infelizes ao seu redor!

Narizinho e Emília ficaram tristes. Que pena serem gente e não poderem se transformar em abelhas para morar numa colmeia daquelas, com toda a vida ocupada num trabalhão tão lindo como esse de recolher o mel e o pólen das flores...

– Mas e a Rainha? E a Rainha? – insistiu a menina. – Quero ser apresentada à Rainha!

– Então, vamos lá – respondeu a abelha. – Sigam-me.

Foram. Depois de atravessarem vários compartimentos, chegaram aos cômodos reais. Lá estava Sua Majestade num trono de cera, conversando com vários zangões emproados e orgulhosos (pelo menos assim pareceu à menina).

– Seja bem-vinda! – cumprimentou a Rainha, com uma doce voz maternal. – Está gostando da nossa colmeia?

– Muito, Majestade! É o reino mais bem-arrumadinho de todos que conheci até agora. Estou encantada!

– O meu reino é assim – explicou a Rainha – porque na verdade não é um reino, mas sim uma grande família com a boa mãe de todos rodeada por seus filhos. Já passeou pela colmeia inteira?

– Já vi uma parte e estou gostando de tudo, menos da cara desses senhores zangões, que me parecem emproados e orgulhosos...

– É que querem se casar comigo. Todos os anos escolho um deles para ser meu marido, e os outros...

– Já sei! Os outros casam-se com as outras abelhas.

A Rainha sorriu.

– Não, menina! Os outros são condenados à morte e executados...

– O quê? – exclamou Narizinho horrorizada. – Isso é uma verdadeira crueldade, uma verdadeira mancha na organização das abelhas.

– É mesmo, menina! Mas é o jeito. Como não sabem trabalhar, e a natureza os fez unicamente para serem esposos da rainha, as abelhas não têm a menor consideração com zangões, depois que a rainha escolhe um deles como esposo. Acabamos com eles e os cadáveres são lançados para fora da colmeia. Minhas filhas acham que sentimentalismo não dá um bom resultado em matéria de organização social.

Narizinho, cada vez mais admirada com a inteligência da Rainha, murmurou ao ouvido da boneca:

– Está vendo, Emília? Isto é que é falar bem! Até parece aquele filósofo que a vovó lê às vezes, o tal Rou... Rousseau, creio.

Nesse momento, escutaram um *trrrlin*, *trrrlin* de esporas ali por perto. Era Tom Mix que entrava. O caubói olhou para os lados e, assim que viu a menina, falou para ela.

– Recebi o recado, Princesa, e aqui estou às suas ordens!

– Que fim levou o Marquês? – perguntou a menina com ansiedade, pois não sabia de nada do que tinha acontecido. – Ainda está vivo ou...

– Vivíssimo, senhora Princesa! Neste momento, já deve estar atacando a segunda abóbora...

– Muito bem! – exclamou Narizinho, extremamente aliviada. – Quero agora, senhor Tom Mix, que me arranje alguns burrinhos de carga para levar um pouco de mel e cera para a vovó.

Tom Mix retirou-se para cumprir a ordem, enquanto a menina falava de novo com a Rainha.

– Senhora Rainha, Vossa Majestade poderia ordenar à sua cozinheira que me prepare um tostão de mel?

– Darei o mel e a cera que quiser – respondeu a Rainha, sorrindo. – Quanto ao tostão, guarde-o para você, porque aqui entre nós o dinheiro dos homens não tem o menor valor. Ali, naquela sala dos favos, é o depósito de mel. Pode ir lá e pegar o quanto quiser.

A menina agradeceu a gentileza e foi até a tal sala com a boneca.

Tudo tão bem-arrumado! Potinhos de cera cheios de mel, todos iguais, com tampinhas também de cera.

– Querem mel? – perguntou logo uma abelha de avental muito limpo que tomava conta daquela repartição.

– Queremos, sim, senhora! Mel e cera.

– De que tipo?

– Existem muitos tipos?

– Temos aqui mel de flores de laranjeira, mel de flores de jabuticabeira lá do sítio da Dona Benta e temos o mel mil-flores, colhido de todas as flores do campo.

– Quero o de flores de jabuticabeira – resolveu logo Narizinho. – E também um quilo de cera para Tia Nastácia.

– Quem carrega tudo é a sua criada aqui? – perguntou a abelha indicando a boneca, enquanto fazia os pacotes.

Emília ficou bem irritada, já toda vermelhinha de raiva. Mas a menina deu um jeito na situação.

– Esta senhora não é minha criada, e sim a Excelentíssima Senhora Condessa da Perna Vazia, futura Marquesa de Rabicó.

A abelhinha pediu mil desculpas, e ainda estava pedindo desculpas quando Tom Mix chegou com uma tropa de grilos carregando muitas cangalhas* e barris próprios para levar o mel. Tom descarregou os barris e esperou que a abelha meleira os enchesse. Depois colocou tudo de novo nas cangalhas e pediu instruções.

– É melhor aguardar em frente ao portão do palácio com os cavalinhos prontos, pois nós também já vamos – ordenou a menina.

---

* Armação colocada no lombo de animais com recipientes laterais para transportar carga.

A volta

Estavam todos prontos para a volta, exceto Emília. Narizinho pensava sobre aquela situação e resolveu pedir a opinião de Tom Mix sobre o melhor jeito de transportar a boneca.

– Acho que temos de pôr a senhora Condessa dentro de um dos barris de mel.

– Que tolice, Tom! Emília ficaria toda melada!

– Sim, mas há um vazio – respondeu ele. – Ali ela ficará melhor acomodada do que na garupa do cavalinho pangaré.

Emília fez cara feia e protestou. O meio de sossegá-la foi deixar que ela fosse na frente do bando, para que pudesse "ir vendo as coisas antes dos outros". Estava nascendo nela aquele espírito interesseiro que ia torná-la célebre nos anais da ciganagem.

Partiram. Meia légua adiante, Emília ficou em pé dentro do barril e gritou:

– Estou vendo uma coisa esquisita lá na frente! Um monstro com cabeça de porco e "peses" de tartaruga!

Todos olharam, verificando que Emília tinha razão. Era um monstro muito mais estranho do que alguém poderia imaginar. Tom Mix puxou a faca e avançou, dizendo a Narizinho que não saísse dali. Chegando mais perto, percebeu o que era.

– Não é monstro nenhum, Princesa! Trata-se do senhor Marquês montado num pobre jabuti! Vem dando chicotadas no coitado, sem dó nem piedade.

E era isso mesmo. Rabicó dava cada chicotada no pobre jabuti...

Narizinho ficou indignada com aquilo. Era demais! Vendo a menina assim, Tom Mix disse:

– Se quiser, acabo com ele agora!

– Não é necessário – respondeu ela. – Eu mesma vou dar uma boa lição nele. Deixe o caso comigo.

Nesse momento, o Marquês alcançou o grupo, e já estava armando uma cara alegre de sem-vergonha, quando a menina o encarou, com cara fechada.

– Desça já do pobre jabuti, seu grandíssimo...

Muito espantado com aquele comentário, Rabicó foi descendo, todo encolhido.

– E para castigo – continuou Narizinho –, quem agora vai montar é o senhor jabuti. Vamos, senhor jabuti! Arreie o Marquês e monte!

O jabuti assim fez, e sossegadamente, porque jabuti não se apressa em caso algum, botou os arreios no leitão, apertou o máximo que pôde o barrigão, montou muito devagar e – *lept*! *lept*! – puxou forte o arreio para que o leitão galopasse sem parar, até ficar sem fôlego.

– *Coin*! *Coin*! *Coin*! – berrava o pobre Marquês.

– Mais rápido, jabuti! – gritava a boneca. – Pode colocar esse guloso que comeu os meus croquetes para galopar sem parar!

– E faça isso também por minha conta! – murmurou uma voz fina no ar.

Todos ergueram os olhos. Era a libelinha enganada, que ia passando veloz como um relâmpago.

A verdade é que, naquele dia, Rabicó perdeu pelo menos um quilo de peso e pagou pelo menos metade dos seus pecados...

Depois desse incidente, voltaram a cavalgar de volta para casa, só parando numa figueira com uma boa sombra, já pertinho do sítio.

– Hora do almoço! – gritou Narizinho, que estava com uma fome daquelas. Desde que saíra de casa, só comera as sobras dos bolinhos preparados por Tia Nastácia no dia anterior.

Levantaram-se. Estenderam no chão uma toalhinha. Tom Mix abriu dois barris de mel. Narizinho remexeu no bolso para ver se ainda encontrava algum pedaço de bolo. Não encontrou nem o besouro. Tinha fugido, o ingrato! Comeram então mel puro, o único alimento que havia.

No melhor da festa – *tzzsiu*! –, um passarinho cantou numa árvore próxima dali. A menina ergueu os olhos: era um tizio.

– Emília – disse ela intrigada –, não acha que aquele tizio tem um certo ar de Pedrinho?

– Muito! E querem ver que é ele mesmo?

– Pedrinho! Pedrinho! Vem aqui, Pedrinho! – gritou a menina, aflita.

O tizio desceu da árvore, vindo pousar em seu ombro.

– Então, o que aconteceu, Pedrinho? Deixo você em casa feito gente e o encontro transformado em ave?!

– Pois é – disse ele. – Todos viramos bichos lá em casa.

– Como? Preciso de uma explicação! – gritou Narizinho ansiosa.

– Pois apareceu por lá uma velha coroca com uma cesta no braço. "Menino", disse ela, "é aqui a casa onde moram duas velhas em companhia de uma menina de nariz arrebitado, muito malcriada?". Furioso com a pergunta, respondi: "Não é da sua conta. Vá embora e siga seu caminho que é melhor". "Ah, é assim?", exclamou ela. "Você vai ver só". E me transformou em passarinho, transformou vovó em tartaruga e Tia Nastácia em galinha...

69

— Que horror! – foi o grito que escapou de Narizinho. – O que vai ser de nós agora? Já sei quem é essa velha! Não pode ser outra! Bem que ela me disse que se vingaria...

— O que foi que aconteceu, Princesa? – perguntou Tom Mix.

— Não sei, Tom, se desta vez poderá nos salvar! Você é invencível, mas só de igual para igual. Contra uma bruxa feiticeira, não sei... não sei... – e contou o que havia acontecido.

— Deixe tudo por minha conta, Princesa, e não duvide da minha arte de resolver situações complicadas. Continue a sua viagem que eu vou dar uma volta pelos arredores a fim de apanhar essa velha. Juro que vou trazê-la de volta em segurança, para que desfaça o mal que fez...

— Os anjos digam amém! – suspirou Narizinho mais animada. E, puxando as rédeas do cavalo pangaré, seguiu para o sítio com o tizio ainda pousado no ombro.

Que tristeza! Mal Narizinho entrou no sítio e já ouviu uma galinha cacarejar lá dentro.

— É Tia Nastácia, coitada... – suspirou com o coração apertado.

Entrou. Na sala de jantar viu, sentada na cadeira de balanço e costurando, uma tartaruga de óculos.

– Vovó! – gritou a menina com desespero. – Não me reconhece mais, vovó?

A tartaruga, quieta, quieta...

– Olha só, Emília, que tragédia! – gritou Narizinho em lágrimas. – Vovó é agora aquele bicho cascudo que está na cadeira! Tia Nastácia é aquela galinha horrível...

Emília olhou, olhou e também desatou a chorar, abraçando a menina.

– A única esperança que nos resta é Tom Mix – disse Narizinho. – Mas isso tudo é tão estranho... Tenho medo, talvez nem ele possa nos salvar...

Passaram-se dois dias. Narizinho, inconsolável, não se conformava com a ideia da sua querida avó tartarugando na cadeira, nem de Tia Nastácia volta e meia botando um ovo por aí.

– Sossega, Narizinho. Tom Mix é um danado. De repente, reaparece e conserta tudo, como no cinema – dizia a boneca para consolar a menina.

– Mas está demorando tanto, Emília...

– Dois dias só. Você sabe que a conta para tudo é três...

Chegou, afinal, o terceiro dia. As duas amiguinhas, postadas à janela desde cedo, espiavam o horizonte, ansiosas. Nem uma poeira se erguia! Narizinho suspirou.

– Nada, Emília! Está tudo perdido... Se a velha tem o poder de transformar os outros em bicho, também pode transformar-se ela mesma em pedra, árvore, tronco seco – e como Tom Mix poderia descobrir?

– Paciência, Narizinho! Vai ver que, de repente, ele brota por aí com a velha...

Nem terminou de falar e um cachorrinho latiu por lá.

– Deve ser ele! – gritou Emília correndo para a porta.

E era mesmo. Era Tom Mix que voltava com a velha na sua frente, de braços erguidos.

– É agora! – berrou o caubói no ouvido da bruxa. – Vai desfazer o mal que fez, senão te como os fígados, agora mesmo...

Horrorizada com a feiura da velha, Narizinho fechou os olhos. Depois, criou coragem e foi abrindo devagarinho. E viu... sabe quem? Viu Tia Nastácia olhando para ela e dizendo:

– Acorda, menina! Parece que teve um pesadelo...

Narizinho sentou-se na cama, ainda tonta, esfregando os olhos.

– E a vovó? – perguntou.

– Lá dentro, costurando.

– E o Pedrinho?

– Fazendo uma arapuca no quintal.

– E... e o Tom Mix?

– Deixa de bobagem e vem tomar o seu café que já está esfriando. – E Tia Nastácia deu o assunto por encerrado.

Hora de conhecer quem é quem!

Narizinho

Lúcia, ou Narizinho, é descrita no livro como a menina do nariz arrebitado. Uma criança alegre, doce e muito querida, mora com sua avó, Dona Benta, a dona do Sítio do Picapau Amarelo. Tem sete anos, é morena como jambo, gosta muito de pipoca e já sabe fazer uns bolinhos de polvilho bem gostosos.

Dona Benta

É uma mulher idosa que possui dois netos, Narizinho e Pedrinho. Dona do Sítio do Picapau Amarelo, é muito sábia, sempre ensina coisas novas aos netos e informa-os sobre a cultura do Brasil e do mundo. Viúva de um grande senhor de engenho, sua paixão são os livros. À noite, está sempre contando histórias de diversos estilos aos netos.

Emília

É a boneca de pano de Narizinho. Feita por Tia Nastácia, possui vida própria, anda e se mexe como uma menina de verdade. Nasceu muda, como toda boneca, mas depois de engolir uma pílula falante do Doutor Caramujo, fala pelos cotovelos. Sapeca, atrapalhada e teimosa, sempre diz o que pensa, principalmente quando leva bronca.

Tia Nastácia

Cozinheira que trabalha para a Dona Benta no Sítio do Picapau Amarelo. Foi ela quem criou a Emília e o Visconde, os bonecos vivos do sítio. Carinhosa e um pouco supersticiosa, está sempre preocupada com todos.

Pedrinho

Neto de Dona Benta que mora na cidade. Mas gosta mesmo é de brincar no sítio da avó com os amigos. Ele, sua prima Narizinho, Emília e o Visconde de Sabugosa aprontam várias travessuras e vivem aventuras inesquecíveis. Tem dez anos, é muito corajoso e curioso. Diz não ter medo de (quase) nada, só de vespa.

Rabicó

Ganhou o nome de Rabicó por causa de sua cauda bem pequena. Narizinho sempre brincou com ele desde pequena. Por isso o porco não foi para o forno virar jantar. Guloso e muito danado, comer é sua paixão. Abocanha qualquer petisco que esteja ao alcance de sua pata ou focinho.

Visconde de Sabugosa

É um sábio boneco feito de sabugo de milho criado por Tia Nastácia. Toda a sua sabedoria vem dos livros da estante da biblioteca de Dona Benta. Cavalheiro, porém um bocado atrapalhado, morre de medo de virar refeição de algum animal.

Rainha das Abelhas

A Rainha das Abelhas é a boa mãe de todas as abelhas. É rodeada o tempo todo por suas filhinhas com muito carinho. Considera seu reino uma grande família. Todos os anos escolhe um zangão para ser seu marido.

Monteiro Lobato

José Bento Renato Monteiro Lobato nasceu em 18 de abril de 1882 em Taubaté, no interior de São Paulo.

Cresceu na fazenda Buquira, onde havia uma imensa biblioteca que pertencia ao avô. Leu tudo que havia para crianças e logo passou a escrever pequenos contos para os jornaizinhos das escolas que frequentou.

Tinha talento para o desenho, mas, por imposição do avô, acabou ingressando na faculdade de Direito. Atuou como advogado e promotor – e em paralelo escrevia artigos para jornais e traduzia obras infantis – até herdar as terras da família, quando passou a ser fazendeiro.

Com dificuldades financeiras, vendeu a propriedade e foi morar em São Paulo com a família em 1916, assumindo de vez sua carreira como escritor e jornalista. Mas a fazenda e a vida no interior foram a inspiração para os personagens e as paisagens de sua vasta obra literária.

Com espírito inovador, em uma época em que os livros brasileiros eram editados na Europa, Monteiro Lobato tornou-se editor, passando a imprimir e publicar livros também no Brasil, revolucionando assim a indústria editorial nacional. Criou *Narizinho arrebitado* em 1920, com muito sucesso. Em seguida, escreveu novas histórias, dando origem a todos os personagens do *Sítio do Picapau Amarelo* e muitas aventuras com personagens bem brasileiros, ligados à cultura nacional, costumes da roça e lendas do folclore.

Faleceu em 1948. É hoje reconhecido como um dos mais importantes escritores da literatura infantojuvenil brasileira.

Mauricio de Sousa

Nasceu em 27 de outubro de 1935, numa família de poetas e contadores de histórias, em Santa Isabel, no interior de São Paulo.

Ainda criança, mudou-se para Mogi das Cruzes, onde descobriu sua paixão pelo desenho e começou a criar os primeiros personagens. Com 19 anos, foi para São Paulo tentar trabalhar como ilustrador na *Folha da Manhã* (hoje *Folha de S.Paulo*). Conseguiu apenas uma vaga de repórter policial.

Em 1959, publicou sua primeira tira diária, com as aventuras do garoto Franjinha e do seu cãozinho Bidu. Em seguida, viriam Cebolinha, Cascão, Mônica, Magali, Piteco, Horácio, Astronauta e tantos outros, e as tiras de Mauricio de Sousa espalharam-se por jornais de todo o país, levando-o a montar um estúdio que hoje dá vida a mais de trezentos personagens.

Em 1970, lançou a revista *Mônica* e, em 1971, recebeu o mais importante prêmio do mundo dos quadrinhos, o troféu **Yellow Kid**, em Lucca, na Itália. Seguindo o sucesso de Mônica, outros personagens também ganharam suas próprias revistas, que já passaram pelas editoras Abril e Globo e atualmente estão na Panini. Dos quadrinhos, eles foram para o teatro, o cinema, a televisão, a internet, parques temáticos e até para exposições de arte.

Pela Girassol, publicou mais de uma centena de livros de fábulas e contos clássicos interpretados pela Turma da Mônica.

Desde maio de 2011, Mauricio de Sousa ocupa a cadeira número 24 da Academia Paulista de Letras.

Regina Zilberman

É licenciada em Letras pela Universidade Federal do Rio Grande do Sul e doutorada em Romanística pela Universidade de Heidelberg, na Alemanha. Seus estágios de pós-doutorado foram realizados na University College (Inglaterra) e na Brown University (Estados Unidos). É professora adjunta do Instituto de Letras, da Universidade Federal do Rio Grande do Sul, e pesquisadora 1A do Conselho Nacional de Desenvolvimento Científico e Tecnológico (CNPq). Autora de diversas obras, entre elas *Como e por que ler a literatura infantil brasileira* (2014) e *Literatura infantil brasileira: uma nova outra história* (2017), é uma das maiores especialistas brasileiras em Monteiro Lobato.